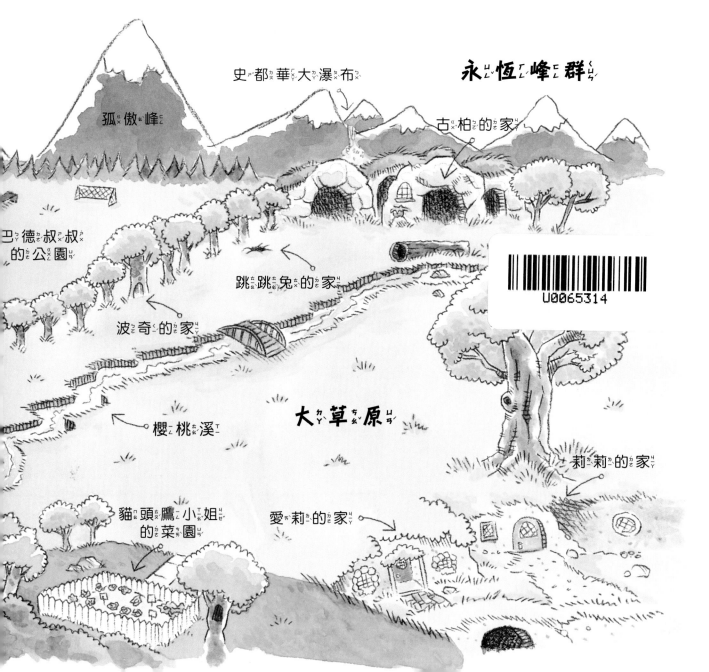

史都華大瀑布

永恆峰群

孤傲峰

古柏的家

巴德叔叔
的公園

跳跳兔的家

波奇的家

大草原

櫻桃溪

莉莉的家

貓頭鷹小姐
的菜園

愛莉的家

知識繪本館
幸福孩子的7個好習慣❺知彼解己

莉莉和難吃的餅乾

文｜西恩・柯維 Sean Covey
圖｜史戴西・柯提斯 Stacy Curtis　譯｜黃筱茵

責任編輯｜詹嬿馨　美術設計｜陳宛昀　行銷企劃｜王予農

天下雜誌群創辦人｜殷允芃　董事長兼執行長｜何琦瑜
媒體暨產品事業群
總經理｜游玉雪　副總經理｜林彥傑　總編輯｜林欣靜
行銷總監｜林育菁　主　編｜楊琇珊　版權主任｜何晨瑋、黃微真

出版者｜親子天下股份有限公司　地址｜台北市104建國北路一段96號4樓
電話｜（02）2509-2800　傳真｜（02）2509-2462　網址｜www.parenting.com.tw
讀者服務專線｜（02）2662-0332　週一～週五 09:00~17:30
讀者服務傳真｜（02）2662-6048
客服信箱｜parenting@cw.com.tw
法律顧問｜台英國際商務法律事務所・羅明通律師
製版印刷｜中原造像股份有限公司
總經銷｜大和圖書有限公司　電話｜（02）8990-2588

出版日期｜2023年4月第一版第一次印行
　　　　　2024年3月第一版第三次印行
定價｜280元
書號｜BKKKC234P
ISBN｜978-626-305-442-4（精裝）

訂購服務
親子天下Shopping｜shopping.parenting.com.tw
海外・大量訂購｜parenting@cw.com.tw
書香花園｜台北市建國北路二段6巷11號　電話｜（02）2506-1635
劃撥帳號｜50331356 親子天下股份有限公司

國家圖書館出版品預行編目資料

幸福孩子的7個好習慣.5,知彼解己:莉莉
和難吃的餅乾 / 西恩.柯維(Sean Covey)
文；史戴西.柯提斯(Stacy Curtis)圖；黃
筱茵譯. -- 第一版. -- 臺北市：親子天下
股份有限公司, 2023.04
32面；20.3×17.8公分. -- (知識繪本館)
國語注音
譯自：The 7 habits of happy kids : lily
and the yucky cookies
ISBN 978-626-305-442-4(精裝)

1.CST: 育兒 2.CST: 繪本

428.8　　　　　　　1120017324

文／西恩‧柯維（Sean Covey）

富蘭克林柯維公司的執行副總，專責教育部門。

史蒂芬‧柯維之子，哈佛大學企管碩士。致力於將領導力原則及技能帶給全球的學生、教育工作者、學校，以期帶動全球的教育變革。

他是《紐約時報》的暢銷書作者，著作包括：《與未來有約》、《與成功有約兒童繪本版》，以及被譯成二十種語言、全球銷售逾四百萬冊的《7個習慣決定未來》。

圖／史戴西‧柯提斯（Stacy Curtis）

美國漫畫家，插圖畫家和印刷師，同時也是理查德‧湯普森（Richard Thompson）連環畫《薩克》的著墨人。柯提斯（Curtis）和他的雙胞胎兄弟在肯塔基州的鮑靈格林（Bowling Green）長大，年輕的史戴西（Stacy）夢想著在這裡創作連環漫畫。

譯／黃筱茵

國立臺灣大學外文系兼任講師。國立臺灣師範大學英語研究所博士班〈文學組〉學分修畢。曾任編輯，翻譯過繪本與青少年小說等超過三百冊，擔任過文化部中小學生優良課外讀物評審、九歌少兒文學獎評審、國家電影視聽中心繪本案審查委員等。近年來同時也撰寫專欄、擔任講師，推廣繪本文學與青少年小說。從故事中試著了解生命裡的歡喜悲傷，認識可以一起喝故事茶的好朋友。

獻給我神奇的兒子偉斯頓

謝謝你總是在夜裡聆聽我所有狂野的故事

——西恩・柯維 Sean Covey

獻給我的姊妹雪莉

——史戴西・柯提斯 Stacy Curtis

幸福孩子的7個好習慣⑤知彼解己
莉莉和難吃的餅乾

文 / 西恩・柯維 Sean Covey

圖 / 史戴西・柯提斯 Stacy Curtis

譯 / 黃筱茵

7橡鎮的朋友們

豪豬波奇

跳跳兔

松鼠蘇菲

小熊古柏

臭鼬莉莉

松鼠山米

老鼠愛莉

「爸爸，這場雨會下一整天嗎？今天大家原本要去魚眼湖玩，我好無聊啊！」臭鼬莉莉說。

「我們來烤餅乾吧，下雨天最適合了！」
爸爸說。

「喔耶！一定很好吃。」弟弟臭臭滿心期
待的附和著。

「我看媽媽做過很多次了，我知道該怎麼做。」
臭鼬莉莉迫不及待的邊動手邊說。

「嗯，我們還是查食譜確定一下吧！」爸爸說。

「首先， 要先將兩杯麵粉和半杯糖混合， 然後再
將一撮⋯⋯莉莉， 你有在聽嗎？」爸爸問。

「爸⋯⋯啊啊啊， 我不需要食譜啦， 我知道自己
在做什麼。」臭鼬莉莉說。

「莉莉，小心一點，你動作太急了。」爸爸說。

「爸爸，你不用擔心，餅乾會很完美。」臭鼬莉莉

完成攪拌，爸爸協助她把餅乾放進烤箱裡。

「莉莉，你看，太陽出來啦！你可以去魚眼湖了。我可以一起去嗎？」弟弟臭臭高喊。

「不行，你太小了啦，你得待在家裡。」臭鼬莉莉說。

臭臭啃著一片餅乾說：「可是莉莉，這些餅乾⋯⋯」
臭鼬莉莉根本沒聽見臭臭的話，她立刻衝去魚眼湖。

「嗨，各位，我帶了餅乾來啦！是我自己烤的唷，希望你們會喜歡。」

「哇ㄨㄚ，莉ㄌㄧ莉ㄌㄧ，那ㄋㄚˋ些ㄒㄧㄝ餅ㄅㄧㄥˇ乾ㄍㄢ看ㄎㄢˋ起ㄑㄧˇ來ㄌㄞˊ真ㄓㄣ棒ㄅㄤˋ！」
松ㄙㄨㄥ鼠ㄕㄨˇ山ㄕㄢ米ㄇㄧˇ說ㄕㄨㄛ。

「嗯ˋ，餅ㄅㄧㄥˇ乾ㄍㄢ的ㄉㄜ味ㄨㄟˋ道ㄉㄠˋ怎ㄗㄣˇ麼ㄇㄜ這ㄓㄜˋ麼ㄇㄜ鹹ㄒㄧㄢˊ！」跳ㄊㄧㄠˋ跳ㄊㄧㄠˋ兔ㄊㄨˋ說ㄕㄨㄛ。

「我ㄨㄛˇ覺ㄐㄩㄝˊ得ㄉㄜˊ我ㄨㄛˇ要ㄧㄠˋ吐ㄊㄨˋ了ㄌㄜ……」豪ㄏㄠˊ豬ㄓㄨ波ㄅㄛ奇ㄑㄧˊ說ㄕㄨㄛ。

「喔ㄛ，『ㄗㄜˋ』些ㄒㄧㄝ餅ㄅㄧㄥˇ乾ㄍㄢ有ㄧㄡˇ點ㄉㄧㄢˇ『ㄜˊ』心ㄒㄧㄣ耶ㄧㄝˋ！」老ㄌㄠˇ鼠ㄕㄨˇ愛ㄞˋ莉ㄌㄧˋ說ㄕㄨㄛ。

臭ㄔㄡˋ鼬ㄧㄡˋ莉ㄌㄧˋ莉ㄌㄧˋ覺ㄐㄩㄝˊ得ㄉㄜˊ很ㄏㄣˇ尷ㄍㄢ尬ㄍㄚˋ，她ㄊㄚ不ㄅㄨˋ知ㄓ道ㄉㄠˋ是ㄕˋ哪ㄋㄚˇ裡ㄌㄧˇ出ㄔㄨ了ㄌㄜ問ㄨㄣˋ題ㄊㄧˊ，只ㄓˇ好ㄏㄠˇ沮ㄐㄩˇ喪ㄙㄤˋ的ㄉㄜ悄ㄑㄧㄠˇ悄ㄑㄧㄠˇ回ㄏㄨㄟˊ家ㄐㄧㄚ。

「爸爸，大家都不喜歡我的餅乾！愛莉說餅乾很噁心，波奇還差點吐……所以我把餅乾通通丟掉了。」臭鼬莉莉說。

「莉莉，不要難過！不過，下次你就要知道，仔細聽別人說話的重要。」爸爸說。

「 你可以不要完全遵照食譜， 但前提是你要確定在開始做餅乾前， 你已經了解每個步驟了。 」爸爸接著說。

「 我們可以再烤一次餅乾嗎？ 我保證……真的……這一次我一定會認真聽。 」

晚餐後，臭鼬莉莉和爸爸回到廚房去做更多餅乾。爸爸把食譜從頭到尾念一遍時，臭鼬莉莉仔細聆聽。臭臭也試著幫忙，只是他一直忍不住偷吃巧克力碎片。

第二天，臭鼬莉莉帶了一盒新烤好的餅乾去和
朋友們分享。
「這些餅乾比上次好吃很多喔！」臭鼬莉莉說。
但是，沒有人想試吃……

「我不要第一個吃。」跳跳兔說。

最後，老鼠愛莉總算說：「我來『似』吃一片吧！」

大家看著老鼠愛莉慢慢把一片餅乾放進嘴裡。

「對、對、對，這些是『似』界上最好吃的餅乾，唷呼！」聽到老鼠愛莉這麼說，大家都拿起餅乾開始吃，沒多久，餅乾就被吃光光啦！

「我的肚子覺得這些餅乾超級好吃。」小熊古柏說。
「餅乾裡加了什麼呀？」豪豬波奇問。
「這個嘛……餅乾的祕密配方就是傾聽唷！」臭鼬莉莉說。

親子共讀小叮嚀

第 5 個好習慣：知彼解己——先聆聽，再開口

就像臭鼬莉莉費了一番苦功才學會的——先去了解和傾聽，正是生命的祕密配方。總歸來說，人們總是太常說話、太少傾聽。和莉莉一樣，我們常常以為自己全都知道了，總是習於莽撞的開始做某件事，急著給他人建議或處方。我們太常沒好好閱讀指引、沒好好診斷，或是真的了解另一個人的觀點。

在生活所有領域的大小事中，先去了解都是正確的原則。一位好作家在寫作前會先去了解讀者；一位好醫師在開藥前會先做診斷；一位細心的母親在評估或下判斷前會先了解自己的孩子；一位有效率的老師在教書前會先了解班上同學們的需求。

在這則故事裡，臭鼬莉莉認為她什麼都知道，所以沒有花時間傾聽，以致烤出來的餅乾變得很難吃。等她花時間傾聽、遵循食譜，情況就變成小熊古柏說的樣子：「我的肚子覺得這些餅乾超級好吃」。生命也是如此，傾聽需要時間，試著了解你的另一半或同事的需求和問題，這需要時間，可是這也能為你做出一盒很棒的餅乾。相較於退縮帶著沒有表達、無法解決的問題過日子。重新開始、化解誤會，這其實不會花更多時間，尤其是你已經沿著路途走了很遠的時候。如果你沒有給人們他們最想要的東西，就必須面對事情的後果，而人們最想要的啊，其實常常只不過是被了解而已。

讓我們永遠記得自己有兩隻耳朵和一張嘴，應該要按照這個正確的比例來使用它們才對。

一起來討論

1. 做餅乾的時候，臭鼬莉莉哪裡做錯了呢？
2. 臭鼬莉莉為什麼不仔細聽她爸爸說話？
3. 她在魚眼湖把餅乾給她的朋友們時，發生了什麼事？
4. 臭鼬莉莉第二次烤餅乾時，有什麼不同的做法嗎？
   她的朋友們覺得那盒新餅乾怎麼樣？
5. 傾聽為什麼重要？

你可以這樣做！

1. 問問其他人，下雨天可以做些什麼事。仔細聆聽後，列出一份清單吧。
2. 讓一位朋友或兄弟姊妹講故事給你聽。仔細聽完以後，把這個故事講給另一個人聽。
3. 跟爸爸媽媽討論一下，看看怎樣才能變成更好的傾聽者。
4. 計時三十分鐘，在這段時間內別說話，傾聽就好。
5. 和爸爸媽媽一起烤餅乾，仔細遵循每一個步驟。在你做餅乾時，記得加入你自己的祕密配方唷。